Lee Aucoin, *Directora creativa*
Jamey Acosta, *Editora principal*
Heidi Fiedler, *Editora*
Producido y diseñado por
Denise Ryan & Associates
Ilustraciones © Mike Brownlow
Traducido por Santiago Ochoa
Rachelle Cracchiolo, *Editora comercial*

Teacher Created Materials
5301 Oceanus Drive
Huntington Beach, CA 92649-1030
http://www.tcmpub.com
ISBN: 978-1-4807-4032-7

Viaje al centro de la Tierra

Escrito por Sally Odgers
Ilustrado por Mike Brownlow

Un extraño profesor estaba esperando cuando Todd llegó a la escuela. El profesor tenía un traje plateado y extraño.

—Soy el Sr. Verne —saludó a los niños—. Iremos al centro.

Todd suspiró. El Centro Interactivo de Aprendizaje era divertido, pero no emocionante.

—Tendremos que escribir acerca de él —susurró a su amiga Cai.

—Salgan todos —dijo el Sr. Verne—. Suban a mi cohete. Pónganse sus trajes de seguridad.

—¡Guau! ¡Esto es sorprendente! —dijo Cai.

—¿Por qué necesitamos trajes de seguridad? —preguntó Todd.

—Ya verás —dijo el Sr. Verne—. No olviden sus cascos.

Cuando los niños estuvieron listos, el cohete despegó. Cai agarró a Todd del brazo mientras el cohete volaba sobre el océano hacia una gruesa columna de humo en Islandia.

Todd miró el humo. Algo resplandecía abajo.

—¡Es un volcán! —exclamó—. ¡Parece como si el hielo estuviera encendido!

—Muy bien —dijo el Sr. Verne—. Es allá a donde vamos.

—¡Dijo que nos llevaría al centro! —jadeó Cai.

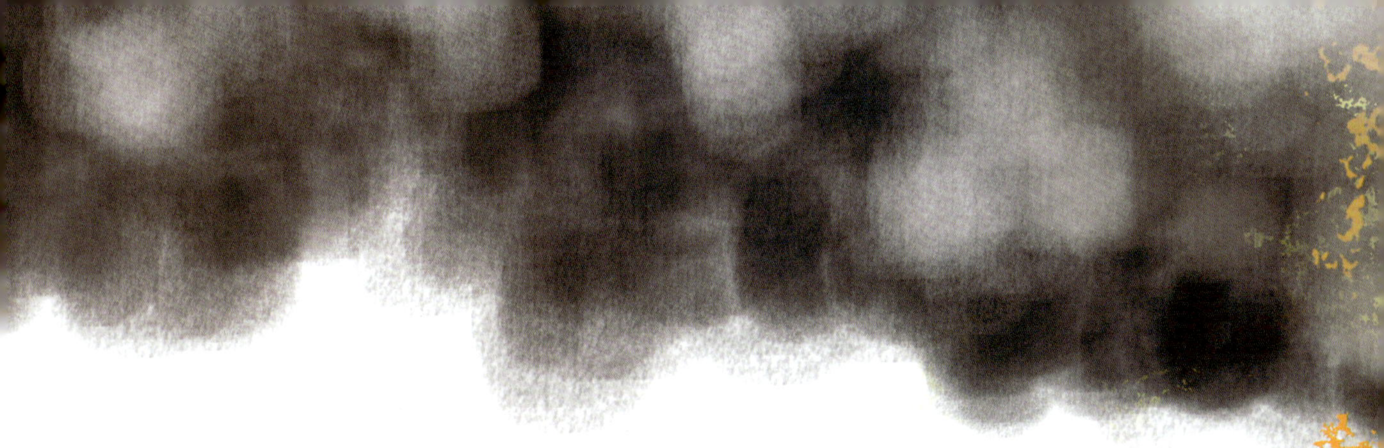

—Así es —dijo el Sr. Verne—. ¡Iremos al centro de la Tierra! —el cohete avanzó entre nubes de humo asfixiantes. Todd cerró los ojos mientras el fuego anaranjado los envolvía a todos.

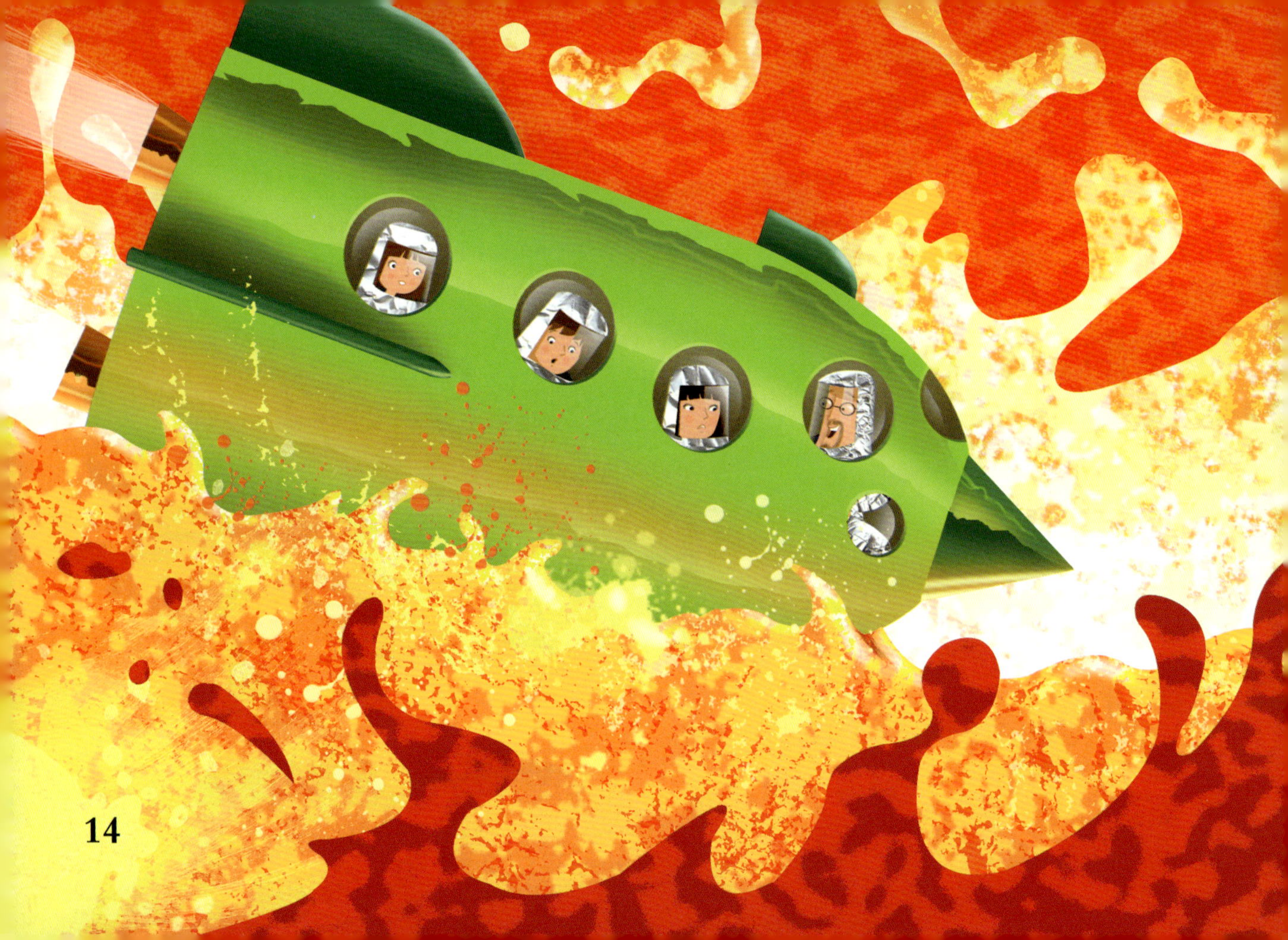

—Es lava. Roca derretida —dijo el profesor—. No se preocupen. Estarán seguros en el cohete. Todd abrió los ojos.

—Ahora entraremos al magma —dijo el profesor—. El magma es igual que la lava, pero está debajo de la corteza de la Tierra y es mucho más caliente.

Todd vio unas rocas rojas burbujeando afuera de las ventanas.

—El cohete puede pasar a través del magma porque este es líquido —dijo el Sr. Verne—. No podemos atravesar la roca sólida, así que iremos a través de los arroyos de magma —sonrió—. Tomen nota, todos.

—Olvidé mi lápiz —dijo Todd.

El cohete bajó en picada por la roca líquida y patinó por los túneles resbaladizos que el Sr. Verne llamaba tubos de lava.

—Estamos en el centro de la Tierra —dijo el Sr. Verne—. Esto se llama el núcleo de la Tierra.

—¿Como el corazón de una manzana? —preguntó Cai.

El Sr. Verne sonrió.

—Casi. Esperen. ¡Estamos subiendo!

Todd se agarró de la silla mientras el cohete avanzaba entre el magma. El resplandor anaranjado se volvió rojo. El cohete avanzó entre humo espeso.

—¿Dónde estamos? —preguntó Cai mientras el aire se despejaba.

—Hemos llegado a un volcán en Hawái —dijo el Sr. Verne—. Aterrizaremos para almorzar. Luego regresaremos a la escuela.

Todd sonrió. ¡No veía la hora de escribir sobre esto!